Petit Ours
aime la musique

Illustrations de Danièle Bour

bayard jeunesse

Petit Ours Brun
a une cassette préférée,
elle le met toujours de
bonne humeur.

Petit Ours Brun
aime les chansons
de son papa,
il y en a même
qu'il connaît par cœur.

Petit Ours Brun
a une guitare électrique.
Il la prend
pour jouer au chanteur.

Petit Ours Brun
sait répéter
les chansons à mimer
sans se tromper.

Petit Ours Brun
peut jouer de jolis airs
en tapant
sur n'importe quoi,
c'est un inventeur.

Petit Ours Brun
adore chanter.
C'est encore plus beau
quand on chante
à plusieurs.

Petit Ours Brun
aime sa boîte à musique.
Quand il l'écoute
il n'a jamais peur.

Petit Ours Brun est un héros des magazines
Popi et *Pomme d'Api*.
Les illustrations ont été réalisées par Danièle Bour.
Les textes de cet album ont été écrits par Marie Aubinais
et l'équipe de rédaction de *Pomme d'Api*.

© Bayard Éditions, 1996
© Bayard Éditions 2003, 2005
ISBN 13 : 978-2-7470-1654-4
Dépôt légal : janvier 2005 - 11ᵉ édition
Loi 49-956 du 16 juillet 1949 sur les publications destinées à la jeunesse
Imprimé en Italie